le machin

À Quimette
C.B.

Téléchargez gratuitement la fiche pédagogique sur :
http://www.didierjeunesse.com/professionnels/fiches-pedagogiques

8, rue d'Assas, 75006 Paris – www.didierjeunesse.com
Graphisme : Chrystel Proupuech & Isabelle Southgate
Photogravure : Jouve Orléans – Achevé d'imprimer en France en juillet 2011
ISBN : 978-2-278-06562-2 – Dépôt légal : 6562/01
Loi n° 49-956 du 16 juillet 1949 sur les publications destinées à la jeunesse

Ce livre a été imprimé chez Clerc, imprimeur certifié Imprim'Vert.

Stéphane Servant

Cécile Bonbon

le machin

Didier Jeunesse

Un jour, près du grand lac,
Bobo l'éléphant ramasse
un drôle de **machin**.

Bobo
le tourne
et le retourne
et le retourne
dans tous
les sens.

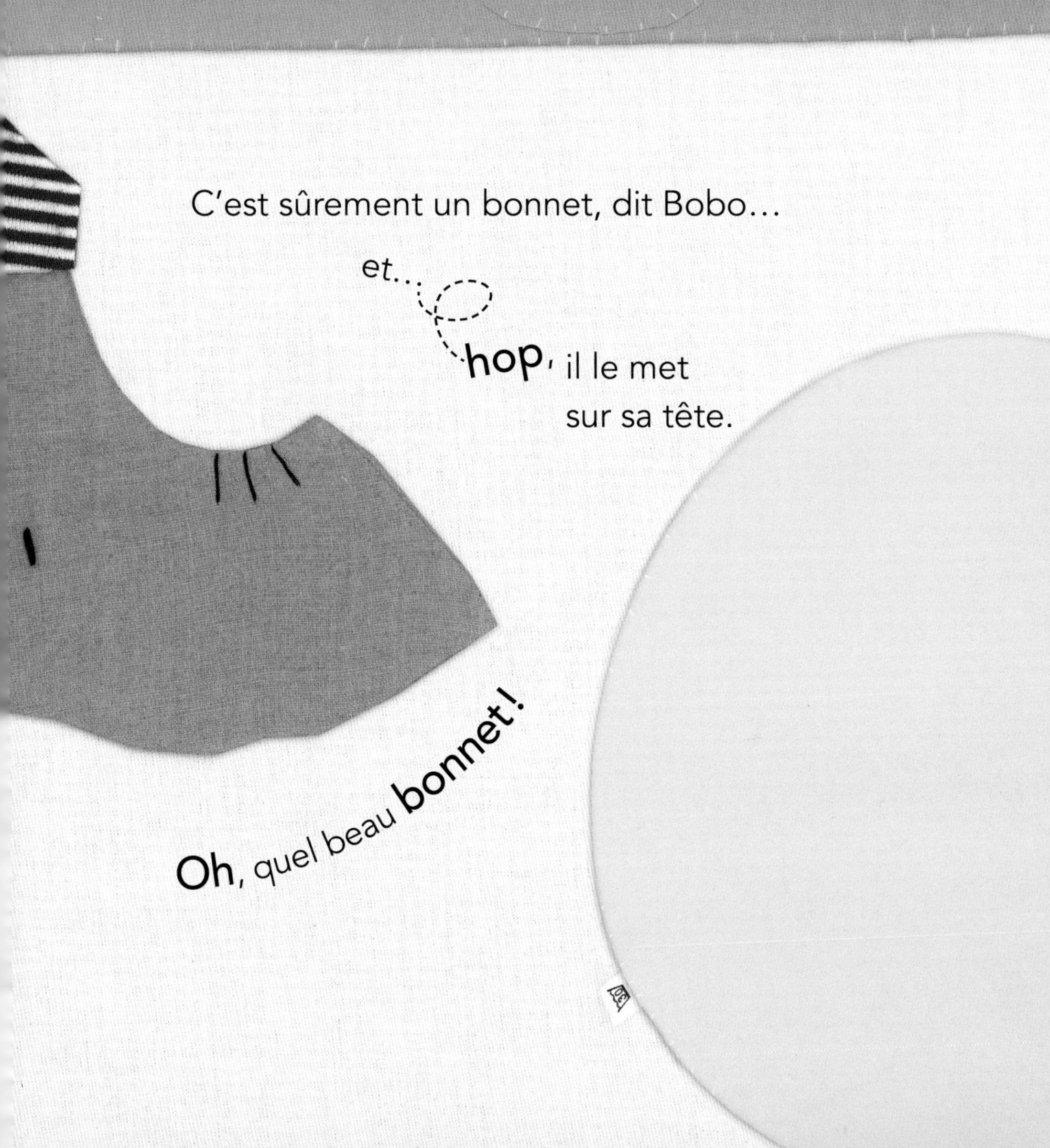
C'est sûrement un bonnet, dit Bobo…
et…
hop, il le met
sur sa tête.
Oh, quel beau bonnet !

Kiki l'alligator passe par là. Il voit Bobo et lui demande :

– C'est quoi **ce machin** que tu as sur la tête ?
– Mais, c'est un bonnet, dit Bobo.
Kiki se met à rire :
– Mais non, ce n'est pas un bonnet, grosse patate !

Alors,
Bobo jette son **bonnet** par terre
et va bouder dans la forêt.

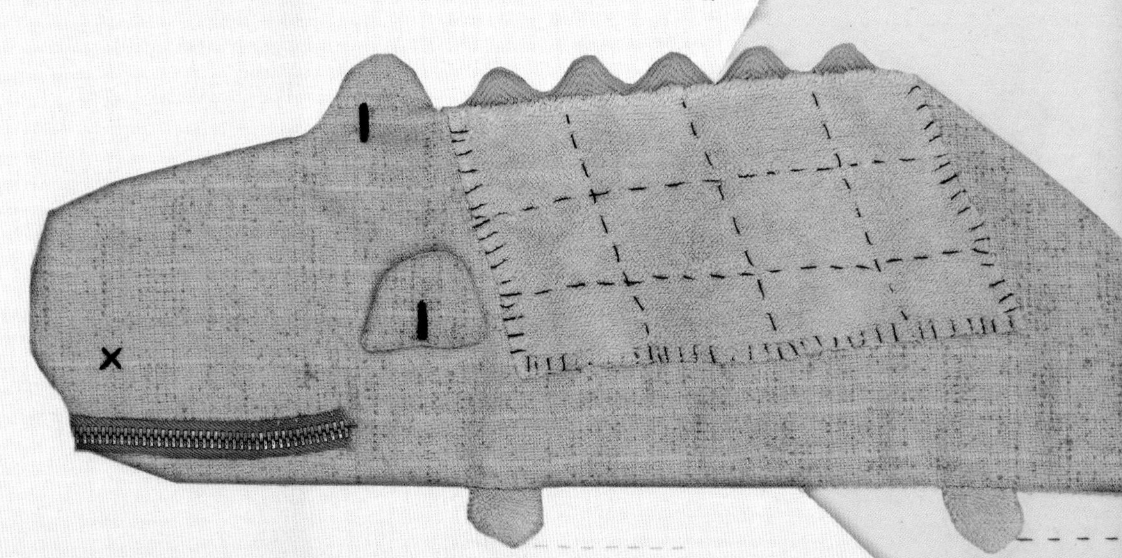

Kiki ramasse **le machin** et...

hop,
il le met sur son dos.

Ah, quelle belle **cape** !

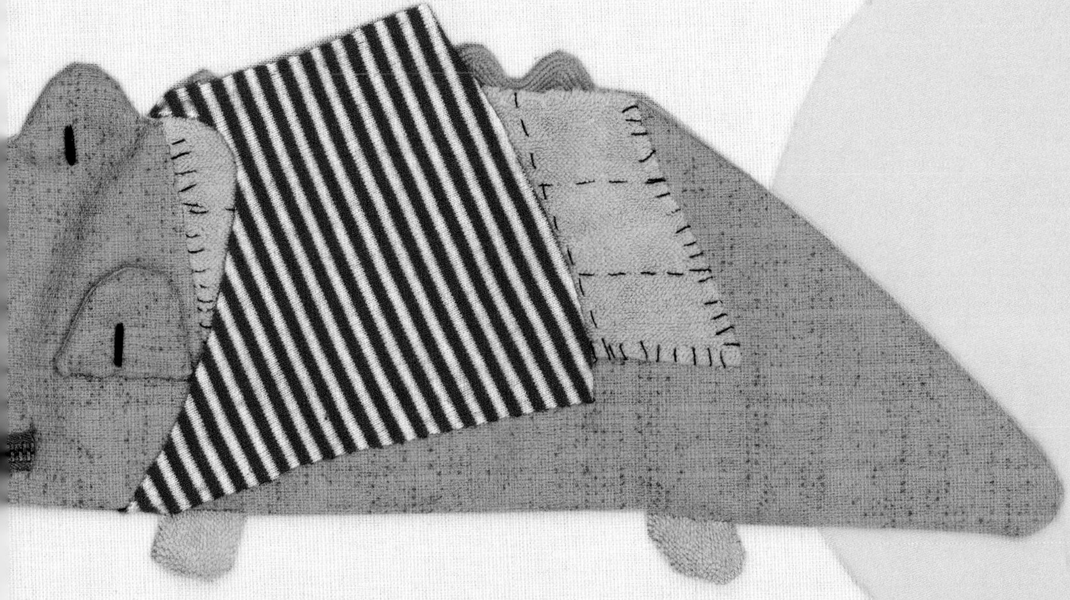

Zaza la brebis passe par là. Elle voit Kiki et lui demande :

– C'est quoi **ce machin** que tu as sur le dos ?
– Mais, c'est une cape, dit Kiki.

Zaza se met à rire :
– Mais non, ce n'est pas une cape, grand cornichon !

Alors,

Kiki jette sa **cape** par terre

et va bouder dans la forêt.

Zaza ramasse
le machin et…
hop, elle le met
autour
de sa taille.

Oh, quelle belle **jupe** !

Juju le canard passe par là.
Il voit Zaza et lui demande :

– C'est quoi **ce machin** que tu as autour de la taille ?
– Mais, c'est une jupe, dit Zaza.
Juju se met à rire :
– Mais non, ce n'est pas une jupe, **grosse** nouille !

Alors,

Zaza jette sa **jupe** par terre

et va bouder dans la forêt.

Juju ramasse

le machin et…

hop,
il l'enroule
autour
de son cou.

Ah, quelle belle écharpe !

Lili la fourmi passe par là. Elle voit Juju et lui demande :

– C'est quoi **ce machin** que tu as autour du cou ?
– Mais, c'est une écharpe, dit Juju.
Lili se met à rire :
– Mais non, ce n'est pas une écharpe,
grosse
banane !

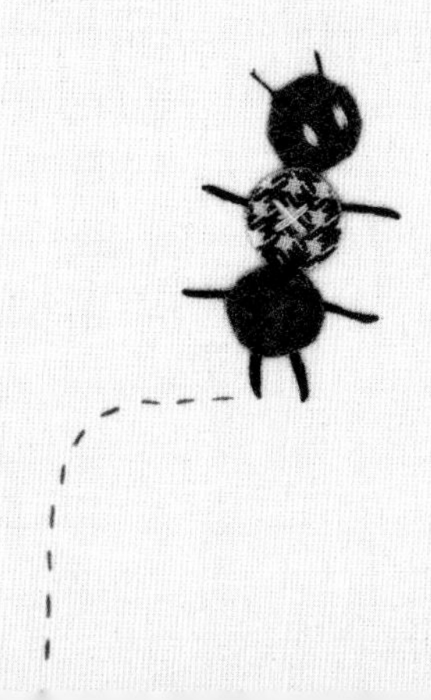

Alors,

Juju jette son **écharpe** par terre

et va bouder dans la forêt.

Lili ramasse
le machin et...
hop, elle s'allonge dessous.

Oh, quelle belle couverture !

Un peu plus tard,
tous les animaux sortent
de la forêt et se retrouvent
autour du grand lac.

Ils voient Lili
couchée
sous **le machin**.

Ils crient :

– Mon bonnet !

– Ma cape !

– Ma jupe !

– Mon écharpe !

Bobo, Kiki, Zaza et Juju se précipitent sur **le machin**.

Et crac! Le machin se déchire… en mille morceaux!

À ce moment-là,

un petit homme tout nu
sort du lac

et s'écrie :

100% COTON

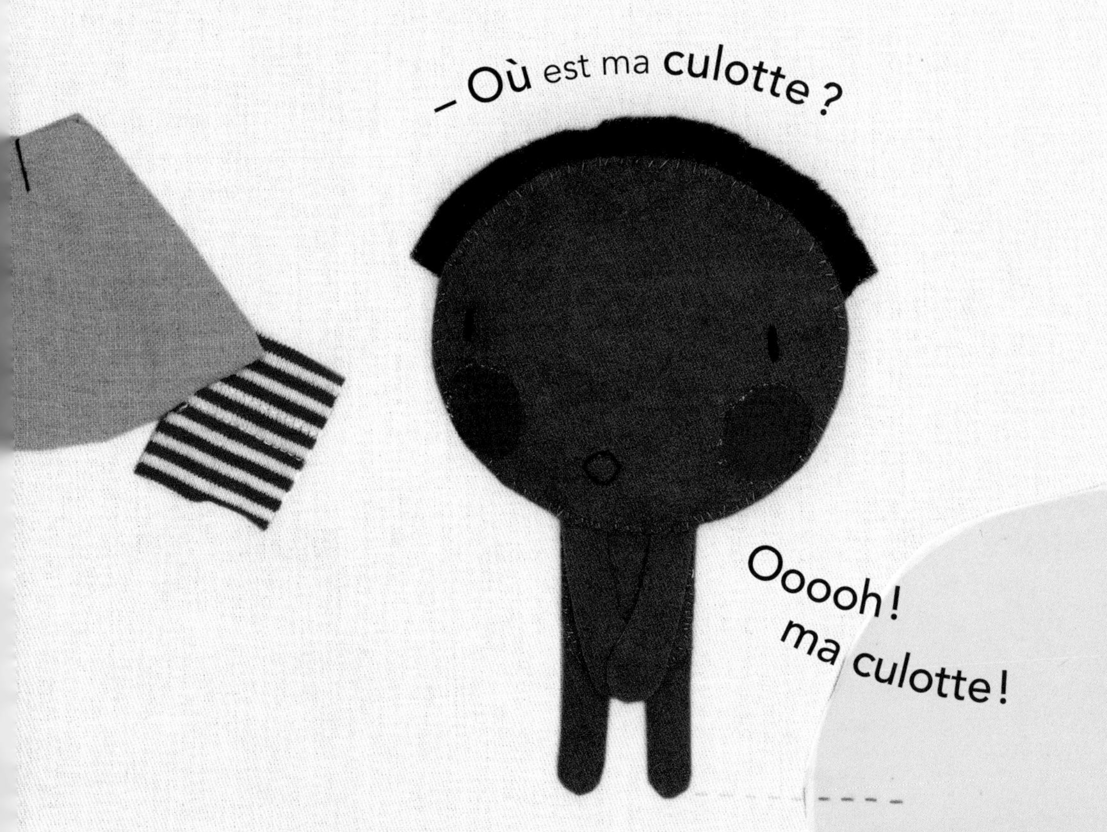

– Où est ma **culotte** ?

Ooooh !
ma culotte !

100% COTO

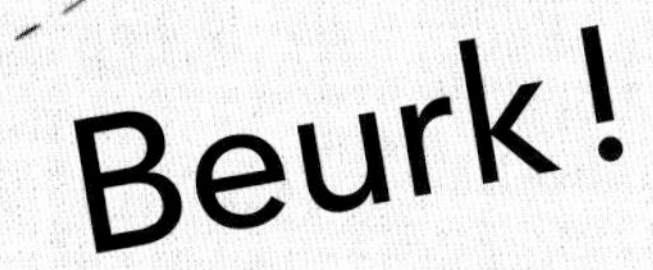

Beurk !

Beurk !

Beurk !

Beurk !

Les P'tits Didier

Des livres câlins à mettre entre toutes les mains !

Le secret
É. Battut

Ours qui lit
É. Pintus - M. Bourre

Le P'tit Bonhomme des bois
P. Delye - M. Bourre

La grenouille à grande bouche
F. Vidal - É. Nouhen

Quelle heure est-il, madame Persil ?
N. Léger-Cresson - I. Chatellard

La princesse au petit pois
D. Grenier

Monsieur p'tit sou
E. Cannard

Le cirque de Philbert
S. Ribeyron

Pêcheur de couleurs
É. Battut - M. Piquemal

Les deux maisons
D. Kowarsky - S. Ribeyron

La souris et le voleur
J. Darwiche - C. Voltz

Retrouvez les plus belles histoires de Didier Jeunesse au format poche !

30 titres disponibles pour les tout-petits et les plus grands.

www.didierjeunesse.com